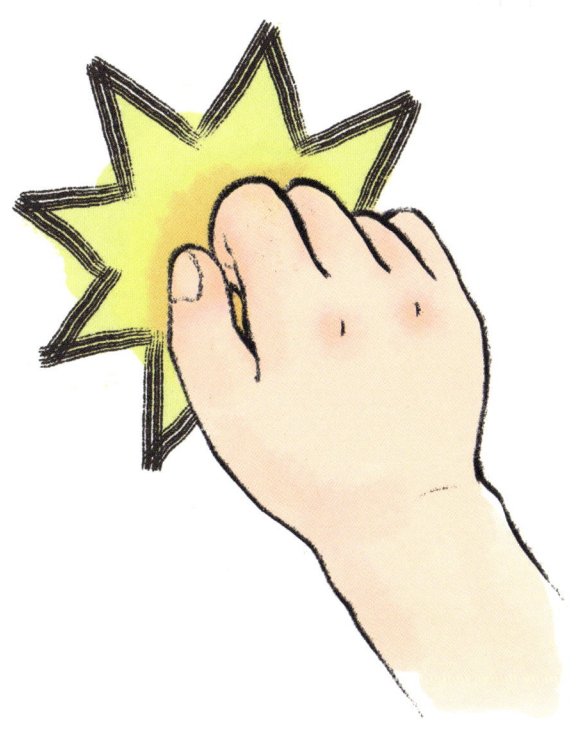

똑똑

무슨 소리야?

소리

글 김미혜 그림 차선희

선생님과 학부모님께

이 그림책은 초기 문해력 교육을 위한 수준 평정 그림책입니다.
아이의 읽기 행동을 관찰하고 기록한 결과를 바탕으로 아이의 눈높이에 맞는
책을 골라 주세요. 아이 스스로 책을 선택할 수 있게 해 주시면 더 좋아요.
그리고 가정과 학교에서 아이와 함께 안내된 읽기를 해 주세요.
이 책에는 한글의 다섯 번째 모음 'ㅗ'가 들어간 '소리'라는 낱말이 반복해서 나옵니다.
'똑똑', '노크', '뽕뽕', '콩콩', '도망가다' 등의 낱말에서도 'ㅗ' 소리를 찾을 수 있어요.
그림책을 읽고 난 다음에는 비슷한 경험을 한 적이 있는지 아이와 이야기를 나눠 보세요.
또 소리를 나타내는 여러 낱말들을 더 찾아보고 그 낱말들을 넣어서 "○○은/는 △△
소리예요.", "△△을/를 하면 ○○ 소리가 나요."와 같이 문장을 만들어 보면 좋습니다.

노크 소리

무슨 소리야?

방귀 소리

콩콩

무슨 소리야?

도망가는 소리

이 책은 _____의 것입니다.

소리

ⓒ 김미혜, 차선희, 2025

2025년 11월 3일 처음 펴냄

글쓴이 김미혜 | **그린이** 차선희 | **편집** 이진주 | **디자인** 더디앤씨 | **인쇄** 보명C&I | **제작** 세종PNP
펴낸이 김기언 | **펴낸곳** 교육공동체 벗 | **이사장** 오정오 | **사무국** 최승훈, 설원민, 공현
출판등록 제2011-000022호(2011년 1월 14일) | **주소** (03998) 서울시 마포구 월드컵북로7길 76-12 102호
전화 02-332-0712 | **전송** 0505-115-0712 | **홈페이지** communebut.com

ISBN 978-89-200-3 67700
ISBN 978-89-195-2(세트)

소리	BFL	0
	어절 수	15

값 2,300원

사용 연령
6세 이상

ISBN 978-89-6880-200-3
ISBN 978-89-6880-195-2 (세트)